Un regalo especial

S0-ASU-742

Para

_____

De

_____

Fecha

_____

Mensaje

_____

_____

Proverbios
para vivir

SEMILLAS de fe™

Proverbios para vivir

Originalmente publicado en inglés por Christian Art Gifts bajo el título de *Proverbs to live by.*

© 2003 Christian Art Gifts, RSA
Christian Art Gifts Inc., IL, USA

Edición en español © 2016

Compilado por Wilma le Roux
Diseñado por Christian Art Gifts

El texto bíblico identificado (NVI) ha sido tomado de la SANTA BIBLIA, NUEVA VERSIÓN INTERNACIONAL. © 1973, 1978, 1984 por la Sociedad Bíblica Internacional. Usado con permiso de la editorial Zondervan. Reservados todos los derechos.

Las citas bíblicas identificadas (RVR1960) han sido tomadas de la Reina-Valera 1960™ © Sociedades Bíblicas en América Latina, 1960. Derechos renovados 1988, Sociedades Bíblicas Unidas.

El texto bíblico identificado (NTV) ha sido tomado de la *Santa Biblia*, Nueva Traducción Viviente, © Tyndale House Foundation, 2010. Usado con permiso de Tyndale House Publishers, Inc., 351 Executive Dr., Carol Stream, Illinois 60188, Estados Unidos de América. Todos los derechos reservados.

Las citas bíblicas identificadas (DHH) han sido tomadas de la Dios habla hoy® Tercera edición © Sociedades Bíblicas Unidas 1966, 1970, 1979, 1983, 1996.

Las citas bíblicas son tomadas de Nueva Biblia Latinoamericana de Hoy Copyright © 2005 by The Lockman Foundation. Usadas con permiso. www.nblh.org

Impreso en China
ISBN 978-1-4321-0711-6

20 21 22 23 24 25 26 27 28 29 – 16 15 14 13 12 11 10 9 8 7

Contenido

Enojo	7
Socios	9
Bendición	11
Negocios	13
Muerte	15
Engaño	17
Liberación	19
Deseo	21
Diligencia	23
Maldad	25
Fidelidad	29
Familia	31
Temor del Señor	34
Necios y necedad	36
Amigos y enemigos	39
Generosidad	42
Bondad	44
Chisme	48
Gobierno	50
Guía	52

Odio	54
Honor y gloria	56
Esperanza	58
Humildad y orgullo	60
Instrucción	64
Integridad	68
Celos	71
Gozo y alegría	73
Juicio	76
Conocimiento	79
Pereza	83
Vida	86
Amor	88
Mentira	90
Misericordia	92
Prójimo	94
Obediencia	96
Paz	98
Pobreza y riqueza	100
Represión	104
Justicia	107
Vergüenza	111
Enfermedad	114
Pecado	117
Conversación	119
Sabiduría	123

Enojo

El que fácilmente se enoja hará locuras; y el hombre perverso será aborrecido.

Proverbios 14:17 (RVR1960)

El que tarda en airarse es grande de entendimiento; mas el que es impaciente de espíritu enaltece la necedad.

Proverbios 14:29 (RVR1960)

La respuesta amable calma el enojo, pero la agresiva echa leña al fuego.

Proverbios 15:1 (NVI)

El hombre iracundo promueve contiendas; mas el que tarda en airarse apacigua la rencilla.

Proverbios 15:18 (RVR1960)

Mejor es el que tarda en airarse que el fuerte; y el que se enseñorea de su espíritu, que el que toma una ciudad.

Proverbios 16:32 (RVR1960)

Enojo

El de grande ira llevará la pena; y si usa de violencias, añadirá nuevos males.

Proverbios 19:19 (RVR1960)

El regalo secreto apacigua el enojo; el obsequio discreto calma la ira violenta.

Proverbios 21:14 (NVI)

Los que siembran injusticia cosecharán desgracia, y su régimen de terror se acabará.

Proverbios 22:8 (NTV)

No te hagas amigo de gente violenta, ni te juntes con los iracundos, no sea que aprendas sus malas costumbres y tú mismo caigas en la trampa.

Proverbios 22:24-25 (NVI)

El hombre iracundo levanta contiendas, y el furioso muchas veces peca.

Proverbios 29:22 (RVR1960)

Hijo mío, si los pecadores quieren engañarte, no vayas con ellos.

Proverbios 1:10 (NVI)

No sigas la senda de los perversos ni vayas por el camino de los malvados. ¡Evita ese camino! ¡No pases por él! ¡Aléjate de allí, y sigue de largo! Los malvados no duermen si no hacen lo malo; pierden el sueño si no hacen que alguien caiga. Su pan es la maldad; su vino, la violencia.

Proverbios 4:14-17 (NVI)

El que labra su tierra se saciará de pan; mas el que sigue a los vagabundos es falto de entendimiento.

Proverbios 12:11 (RVR1960)

El que anda con sabios, sabio será; mas el que se junta con necios será quebrantado.

Proverbios 13:20 (RVR1960)

Socios

El violento engaña a su prójimo y lo lleva por mal camino. El que guiña el ojo trama algo perverso; el que aprieta los labios ya lo ha cometido.

Proverbios 16:29-30 (NVI)

No envidies a los malvados, ni procures su compañía; porque en su corazón traman violencia, y no hablan más que de cometer fechorías.

Proverbios 24:1-2 (NVI)

El que guarda la ley es hijo prudente; mas el que es compañero de glotones avergüenza a su padre.

Proverbios 28:7 (RVR1960)

El que ama la sabiduría alegra a su padre; el que frecuenta rameras derrocha su fortuna.

Proverbios 29:3 (NVI)

Bendición

Dichoso el que halla sabiduría, el que adquiere inteligencia.

Proverbios 3:13 (NVI)

El SEÑOR [...] bendice el hogar de los justos.

Proverbios 3:33 (NTV)

Y ahora, hijos míos, escúchenme: dichosos los que van por mis caminos. Dichosos los que me escuchan y a mis puertas están atentos cada día, esperando a la entrada de mi casa.

Proverbios 8:32, 34 (NVI)

Hay bendiciones sobre la cabeza del justo; pero violencia cubrirá la boca de los impíos. La memoria del justo será bendita; mas el nombre de los impíos se pudrirá.

Proverbios 10:6-7 (RVR1960)

La bendición de Jehová es la que enriquece, y no añade tristeza con ella.

Proverbios 10:22 (RVR1960)

Bendición

Por la bendición de los rectos la ciudad será engrandecida; mas por la boca de los impíos será trastornada.

Proverbios 11:11 (RVR1960)

Al que acapara el grano, el pueblo lo maldecirá; pero bendición será sobre la cabeza del que lo vende.

Proverbios 11:26 (RVR1960)

El que atiende a la palabra, prospera. ¡Dichoso el que confía en el Señor!

Proverbios 16:20 (NVI)

Pero bien vistos serán, y bendecidos, los que condenen al culpable.

Proverbios 24:25 (NVI)

Bienaventurado el hombre que siempre teme a Dios; mas el que endurece su corazón caerá en el mal.

Proverbios 28:14 (NVI)

La obra del justo es para vida; mas el fruto del impío es para pecado.

Proverbios 10:16 (RVR1960)

El SEÑOR aborrece las balanzas adulteradas, pero aprueba las pesas exactas.

Proverbios 11:1 (NVI)

Las riquezas de vanidad disminuirán; pero el que recoge con mano laboriosa las aumenta.

Proverbios 13:11 (RVR1960)

El alma del que trabaja, trabaja para sí, porque su boca le estimula.

Proverbios 16:26 (RVR1960)

«¡No sirve, no sirve!», dice el comprador, pero luego va y se jacta de su compra.

Proverbios 20:14 (NVI)

Negocios

El pan robado tiene un sabor dulce, pero se transforma en arena dentro de la boca.

Proverbios 20:17 (NTV)

¿Has visto hombre solícito en su trabajo? Delante de los reyes estará; no estará delante de los de baja condición.

Proverbios 22:29 (RVR1960)

Adquiere la verdad y la sabiduría, la disciplina y el discernimiento, ¡y no los vendas!

Proverbios 23:23 (NVI)

Prepara tus labores fuera, y disponlas en tus campos, y después edificarás tu casa.

Proverbios 24:27 (RVR1960)

Calcula el valor de un campo y lo compra; con sus ganancias planta un viñedo.

Proverbios 31:16 (NVI)

Muerte

De los labios de la adúltera fluye miel; su lengua es más suave que el aceite. Pero al fin resulta más amarga que la hiel y más cortante que una espada de dos filos. Sus pies descienden hasta la muerte; sus pasos van derecho al sepulcro.

Proverbios 5:3-5 (NVI)

Porque el que me halla, halla la vida, y alcanza el favor del Señor. Pero el que peca contra mí, a sí mismo se daña; todos los que me odian, aman la muerte.

Proverbios 8:35-36 (LBLA)

No aprovecharán las riquezas en el día de la ira; mas la justicia librará de muerte.

Proverbios 11:4 (RVR1960)

Cuando muere el hombre impío, perece su esperanza; y la expectación de los malos perecerá.

Proverbios 11:7(RVR1960)

Muerte

El que es justo obtiene la vida; el que persigue el mal se encamina a la muerte.

Proverbios 11:19 (NVI)

En el camino de la justicia se halla la vida; por ese camino se evita la muerte.

Proverbios 12:28 (NVI)

La reconvención es molesta al que deja el camino; y el que aborrece la corrección morirá.

Proverbios 15:10 (RVR1960)

El que guarda el mandamiento guarda su alma; mas el que menosprecia sus caminos morirá.

Proverbios 19:16 (RVR1960)

Quien se aparta de la senda del discernimiento irá a parar entre los muertos.

Proverbios 21:16 (NVI)

Engaño

El bribón y sinvergüenza, el vagabundo de boca corrupta. El malvado trama el mal en su mente, y siempre anda provocando disensiones.

Proverbios 6:12, 14 (NVI)

Los pensamientos de los justos son rectos, los consejos de los impíos, engañosos.

Proverbios 12:5 (LBLA)

Engaño hay en el corazón de los que piensan el mal; pero alegría en el de los que piensan el bien.

Proverbios 12:20 (RVR1960)

El testigo verdadero libra las almas; mas el engañoso hablará mentiras.

Proverbios 14:25 (RVR1960)

El de corazón perverso jamás prospera; el de lengua engañosa caerá en desgracia.

Proverbios 17:20 (NVI)

Engaño

No testifiques sin razón contra tu prójimo, ni mientas con tus labios. No digas: «Le haré lo mismo que me hizo; le pagaré con la misma moneda».

Proverbios 24:28-29 (NVI)

Como escoria de plata echada sobre el tiesto son los labios lisonjeros y el corazón malo. El que odia disimula con sus labios; mas en su interior maquina engaño. Cuando hablare amigablemente, no le creas; porque siete abominaciones hay en su corazón. Aunque su odio se cubra con disimulo, su maldad será descubierta en la congregación.

Proverbios 26:23-26 (RVR1960)

Más confiable es el amigo que hiere que el enemigo que besa.

Proverbios 27:6 (NVI)

La discreción te guardará; te preservará la inteligencia, para librarte del mal camino, de los hombres que hablan perversidades.

Proverbios 2:11-12 (RVR1960)

Los tesoros de maldad no serán de provecho; mas la justicia libra de muerte.

Proverbios 10:2 (RVR1960)

La justicia libra a los justos, pero la codicia atrapa a los falsos.

Proverbios 11:6 (NVI)

Los justos son rescatados de dificultades, y éstas caen sobre los perversos.

Proverbios 11:8 (NTV)

Las palabras de los perversos son como una emboscada mortal, pero las palabras de los justos salvan vidas.

Proverbios 12:6 (NTV)

Liberación

El testigo verdadero libra las almas; mas el engañoso hablará mentiras.

Proverbios 14:25 (RVR1960)

Nunca digas: «¡Me vengaré de ese daño!». Confía en el Señor, y Él actuará por ti.

Proverbios 20:22 (NVI)

El caballo se prepara para el día de la batalla, pero la victoria pertenece al Señor.

Proverbios 21:31 (NTV)

Lo castigarás con vara, y librarás su alma del Seol.

Proverbios 23:14 (RVR1960)

El que en integridad camina será salvo; mas el de perversos caminos caerá en alguno.

Proverbios 28:18 (RVR1960)

Necio es el que confía en sí mismo; el que actúa con sabiduría se pone a salvo.

Proverbios 28:26 (NVI)

Deseo

Dichoso el que halla sabiduría, el que adquiere inteligencia. Es más valiosa que las piedras preciosas: ¡ni lo más deseable se le puede comparar!

Proverbios 3:13, 15 (NVI)

Opten por mi instrucción, no por la plata; por el conocimiento, no por el oro refinado. Vale más la sabiduría que las piedras preciosas, y ni lo más deseable se le compara.

Proverbios 8:10-11 (NVI)

Lo que el impío teme, eso le vendrá; pero a los justos les será dado lo que desean.

Proverbios 10:24 (RVR1960)

El deseo de los justos es solamente el bien; mas la esperanza de los impíos es el enojo.

Proverbios 11:23 (RVR1960)

La esperanza que se demora es tormento del corazón; pero árbol de vida es el deseo cumplido.

Proverbios 13:12 (RVR1960)

Deseo

El deseo cumplido endulza el alma, pero el necio detesta alejarse del mal.

Proverbios 13:19 (NVI)

El egoísta busca su propio bien; contra todo sano juicio se rebela.

Proverbios 18:1 (NVI)

El deseo del perezoso le mata, porque sus manos no quieren trabajar. Hay quien todo el día codicia; pero el justo da, y no detiene su mano.

Proverbios 21:25-26 (RVR1960)

No aceptes comer con los tacaños ni desees sus manjares.

Proverbios 23:6 (NTV)

No tengas envidia de los hombres malos, ni desees estar con ellos.

Proverbios 24:1 (RVR1960)

Diligencia

Por sobre todas las cosas cuida tu corazón, porque de él mana la vida.

Proverbios 4:23 (NVI)

El hijo prevenido se abastece en el verano, pero el sinvergüenza duerme en tiempo de cosecha.

Proverbios 10:5 (NVI)

La mano de los diligentes gobernará, pero la indolencia será sujeta a trabajos forzados.

Proverbios 12:24 (LBLA)

El perezoso no atrapa presa, pero el diligente ya posee una gran riqueza.

Proverbios 12:27 (NVI)

Los pensamientos del diligente ciertamente tienden a la abundancia; mas todo el que se apresura alocadamente, de cierto va a la pobreza.

Proverbios 21:5 (RVR1960)

Diligencia

¿Has visto a alguien realmente hábil en su trabajo? Servirá a los reyes en lugar de trabajar para la gente común.

Proverbios 22:29 (NTV)

Pues aunque digas, «Yo no lo sabía», ¿no habrá de darse cuenta el que pesa los corazones? ¿No habrá de saberlo el que vigila tu vida? ¡Él le paga a cada uno según sus acciones!

Proverbios 24:12 (NVI)

Conoce bien la condición de tus rebaños, y presta atención a tu ganado.

Proverbios 27:23 (LBLA)

Anda en busca de lana y de lino, y gustosa trabaja con sus manos. Se levanta de madrugada, da de comer a su familia y asigna tareas a sus criadas. Está atenta a la marcha de su hogar, y el pan que come no es fruto del ocio.

Proverbios 31:13, 15, 27 (NVI)

¡Pero no te dejes llevar por ellos, hijo mío! ¡Apártate de sus senderos! Pues corren presurosos a hacer lo malo; ¡tienen prisa por derramar sangre!

Proverbios 1:15-16 (NVI)

La sabiduría te librará del camino de los malvados, de los que profieren palabras perversas, de los que se apartan del camino recto para andar por sendas tenebrosas, de los que se complacen en hacer lo malo y festejan la perversidad, de los que andan por caminos torcidos y por sendas extraviadas.

Proverbios 2:12-15 (NVI)

No seas sabio en tu propia opinión; más bien, teme al SEÑOR y huye del mal.

Proverbios 3:7 (NVI)

No intentes mal contra tu prójimo que habita confiado junto a ti.

Proverbios 3:29 (RVR1960)

Maldad

No entres por la vereda de los impíos, ni vayas por el camino de los malos.

Proverbios 4:14 (RVR1960)

Al malvado lo atrapan sus malas obras; las cuerdas de su pecado lo aprisionan.

Proverbios 5:22 (NVI)

El bribón y sinvergüenza, el vagabundo de boca corrupta. El malvado trama el mal en su mente, y siempre anda provocando disensiones. Por eso le sobrevendrá la ruina; ¡de repente será destruido, y no podrá evitarlo!

Proverbios 6:12, 14-15 (NVI)

Todos los que temen al Señor odiarán la maldad. Por eso odio el orgullo y la arrogancia, la corrupción y el lenguaje perverso.

Proverbios 8:13 (NTV)

Maldad

El que es justo obtiene la vida; el que persigue el mal se encamina a la muerte. Una cosa es segura: Los malvados no quedarán impunes, pero los justos saldrán bien librados.

Proverbios 11:19, 21 (NVI)

El que madruga para el bien, halla buena voluntad; el que anda tras el mal, por el mal será alcanzado.

Proverbios 11:27 (NVI)

El Señor aprueba a los que son buenos, pero condena a quienes traman el mal.

Proverbios 12:2 (NTV)

Los malos se inclinarán delante de los buenos, y los impíos a las puertas del justo.

Proverbios 14:19 (RVR1960)

Maldad

El corazón del justo piensa para responder;
mas la boca de los impíos derrama malas
cosas.

Proverbios 15:28 (RVR1960)

El hombre perverso cava en busca del mal, y
en sus labios hay como llama de fuego.

Proverbios 16:27 (RVR1960)

Los malvados desean el mal; no muestran
compasión a sus vecinos.

Proverbios 21:10 (NTV)

No tengas envidia de los hombres malos, ni
desees estar con ellos.

Proverbios 24:1 (RVR1960)

Los malvados nada entienden de la justicia;
los que buscan al Señor lo entienden todo.

Proverbios 28:5 (NVI)

Él cuida el sendero de los justos y protege el camino de Sus fieles.

Proverbios 2:8 (RVR1960)

Que nunca te abandonen el amor y la verdad: llévalos siempre alrededor de tu cuello y escríbelos en el libro de tu corazón.

Proverbios 3:3 (NVI)

El que anda en chismes descubre el secreto; mas el de espíritu fiel lo guarda todo.

Proverbios 11:13 (RVR1960)

El mensajero malvado se mete en problemas; el enviado confiable aporta la solución.

Proverbios 13:17 (NVI)

El testigo verdadero no mentirá; mas el testigo falso hablará mentiras.

Proverbios 14:5 (RVR1960)

Fidelidad

Con amor inagotable y fidelidad se perdona el pecado. Con el temor del Señor el mal se evita.

Proverbios 16:6 (NTV)

El amor inagotable y la fidelidad protegen al rey; su trono se afianza por medio de su amor.

Proverbios 20:28 (NTV)

Como frescura de nieve en día de verano es el mensajero confiable para quien lo envía, pues infunde nuevo ánimo en sus amos.

Proverbios 25:13 (NVI)

Más confiable es el amigo que hiere que el enemigo que besa.

Proverbios 27:6 (NVI)

El hombre fiel recibirá muchas bendiciones; el que tiene prisa por enriquecerse no quedará impune.

Proverbios 28:20 (NVI)

Hijo mío, escucha las correcciones de tu padre y no abandones las enseñanzas de tu madre. Adornarán tu cabeza como una diadema; adornarán tu cuello como un collar.

Proverbios 1:8-9 (NVI)

Hijo mío, no desprecies la disciplina del SEÑOR, ni te ofendas por Sus reprensiones. Porque el SEÑOR disciplina a los que ama, como corrige un padre a su hijo querido.

Proverbios 3:11-12 (NVI)

Escuchen, hijos, la corrección de un padre; dispónganse a adquirir inteligencia. Yo les brindo buenas enseñanzas, así que no abandonen mi instrucción. Cuando yo era pequeño y vivía con mi padre, cuando era el niño consentido de mi madre, mi padre me instruyó de esta manera: «Aférrate de corazón a mis palabras; obedece mis mandamientos, y vivirás».

Proverbios 4:1-4 (NVI)

Familia

Hijo mío, obedece el mandamiento de tu padre y no abandones la enseñanza de tu madre.

Proverbios 6:20 (NVI)

El que detiene el castigo, a su hijo aborrece; mas el que lo ama, desde temprano lo corrige.

Proverbios 13:24 (RVR1960)

La corona del anciano son sus nietos; el orgullo de los hijos son sus padres.

Proverbios 17:6 (NVI)

De los padres se reciben casa y riquezas; del Señor, la esposa inteligente.

Proverbios 19:14 (DHH)

El que roba a su padre y echa a la calle a su madre es un hijo infame y sinvergüenza.

Proverbios 19:26 (NVI)

Al que maldiga a su padre y a su madre, su lámpara se le apagará en la más densa oscuridad.

Proverbios 20:20 (NVI)

Instruye al niño en el camino correcto, y aun en su vejez no lo abandonará.

Proverbios 22:6 (NVI)

Escucha a tu padre, que te engendró, y no desprecies a tu madre cuando sea anciana.

Proverbios 23:22 (NVI)

Disciplinar a un niño produce sabiduría, pero un hijo sin disciplina avergüenza a su madre.

Proverbios 29:15 (NTV)

El ojo que se burla de su padre y desprecia las instrucciones de su madre será arrancado por los cuervos del valle y devorado por los buitres.

Proverbios 30:17 (NTV)

Temor del Señor

El temor del Señor es el principio del conocimiento; los necios desprecian la sabiduría y la disciplina.

Proverbios 1:7 (NVI)

Entonces me invocarán, pero no responderé; me buscarán con diligencia, pero no me hallarán; porque odiaron el conocimiento, y no escogieron el temor del Señor.

Proverbios 1:28-29 (LBLA)

Hijo mío, si haces tuyas mis palabras y atesoras mis mandamientos; entonces comprenderás el temor del Señor y hallarás el conocimiento de Dios.

Proverbios 2:1, 5 (NVI)

No seas sabio en tu propia opinión; más bien, teme al Señor y huye del mal.

Proverbios 3:7 (NVI)

Temor del Señor

El temor del Señor prolonga la vida, pero los años del malvado se acortan.

Proverbios 10:27 (NVI)

El temor del Señor es un baluarte seguro que sirve de refugio a los hijos. El temor del Señor es fuente de vida, y aleja al hombre de las redes de la muerte.

Proverbios 14:26-27 (NVI)

Más vale tener poco, con temor del Señor, que muchas riquezas con grandes angustias.

Proverbios 15:16 (NVI)

Recompensa de la humildad y del temor del Señor son las riquezas, la honra y la vida.

Proverbios 22:4 (NVI)

No envidies a los pecadores, en cambio, teme siempre al Señor.

Proverbios 23:17 (NTV)

Necios y necedad

El sabio con gusto recibe instrucción, pero el necio que habla hasta por los codos caerá de narices.

Proverbios 10:8 (RVR1960)

Los labios del justo orientan a muchos; los necios mueren por falta de juicio.

Proverbios 10:21 (NVI)

Al necio le parece bien lo que emprende, pero el sabio atiende al consejo.

Proverbios 12:15 (NVI)

El prudente actúa con cordura, pero el necio se jacta de su necedad.

Proverbios 13:16 (NVI)

El necio desdeña la corrección de su padre; el que la acepta demuestra prudencia.

Proverbios 15:5 (NVI)

Es más efectivo un solo regaño al que tiene entendimiento que cien latigazos en la espalda del necio.

Proverbios 17:10 (NTV)

Necios y necedad

Más vale toparse con un oso enfurecido que con un necio empecinado en su necedad.

Proverbios 17:12 (NVI)

¿De qué le sirve al necio poseer dinero? ¿Podrá adquirir sabiduría si le faltan sesos?

Proverbios 17:16 (NVI)

Hasta un necio pasa por sabio si guarda silencio; se le considera prudente si cierra la boca.

Proverbios 17:28 (NVI)

El necio no tiene deseos de aprender; sólo le importa presumir de lo que sabe.

Proverbios 18:2 (DHH)

Más vale pobre e intachable que necio y embustero.

Proverbios 19:1 (NVI)

Necios y necedad

No hables a oídos del necio, porque menospreciará la prudencia de tus razones.

Proverbios 23:9 (RVR1960)

La sabiduría no está al alcance del necio, que en la asamblea del pueblo nada tiene que decir.

Proverbios 24:7 (NVI)

Como la nieve no es para el verano ni la lluvia para la cosecha tampoco el honor es para los necios.

Proverbios 26:1 (NTV)

Como arquero que hiere a todo el que pasa es quien contrata al necio en su casa.

Proverbios 26:10 (NVI)

Como vuelve el perro a su vómito, así el necio insiste en su necedad.

Proverbios 26:11 (NVI)

Al necio no se le quita lo necio ni aunque lo muelas y lo remuelas.

Proverbios 27:22 (DHH)

Necios y necedad

Hijo mío, si has salido fiador por la deuda de un amigo o has aceptado garantizar la deuda de un extraño, sigue mi consejo y sálvate, pues te has puesto a merced de tu amigo. Ahora trágate tu orgullo; ve y suplica que tu amigo borre tu nombre.

Proverbios 6:1, 3 (NTV)

Cuando la vida de alguien agrada al Señor, hasta sus enemigos están en paz con él.

Proverbios 16:7 (NTV)

En todo tiempo ama el amigo; para ayudar en la adversidad nació el hermano.

Proverbios 17:17 (NVI)

El hombre que tiene amigos ha de mostrarse amigo; y amigo hay más unido que un hermano.

Proverbios 18:24 (RVR1960)

Amigos y enemigos

Son muchos los que buscan favores del gobernante; ¡todos son amigos del que da regalos!

Proverbios 19:6 (NTV)

No te entremetas con el iracundo, ni te acompañes con el hombre de enojos, no sea que aprendas sus maneras, y tomes lazo para tu alma.

Proverbios 22:24-25 (RVR1960)

No te alegres cuando caiga tu enemigo, ni se regocije tu corazón ante su desgracia, no sea que el Señor lo vea y no lo apruebe, y aparte de él Su enojo.

Proverbios 24:17-18 (NVI)

Si tus enemigos tienen hambre, dales de comer. Si tienen sed, dales agua para beber. Amontonarás carbones encendidos de vergüenza sobre su cabeza, y el Señor te recompensará.

Proverbios 25:21-22 (NTV)

Amigos y enemigos

Las heridas de un amigo sincero son mejores que muchos besos de un enemigo.

Proverbios 27:6 (NTV)

El perfume y el incienso alegran el corazón; la dulzura de la amistad fortalece el ánimo.

Proverbios 27:9 (NVI)

No abandones a tu amigo ni al amigo de tu padre. No vayas a la casa de tu hermano cuando tengas un problema. Más vale vecino cercano que hermano distante.

Proverbios 27:10 (NVI)

El hierro se afila con el hierro, y el hombre en el trato con el hombre.

Proverbios 27:17 (NVI)

Generosidad

No digas a tu prójimo: Anda, y vuelve, y mañana te daré, cuando tienes contigo qué darle.

Proverbios 3:28 (RVR1960)

Hay quienes reparten, y les es añadido más; y hay quienes retienen más de lo que es justo, pero vienen a pobreza. El alma generosa será prosperada; y el que saciare, él también será saciado.

Proverbios 11:24-25 (RVR1960)

Peca el que menosprecia a su prójimo; mas el que tiene misericordia de los pobres es bienaventurado. El que oprime al pobre afrenta a su Hacedor; mas el que tiene misericordia del pobre, lo honra.

Proverbios 14:21, 31 (RVR1960)

Generosidad

El que se apiada del pobre presta al Señor, y Él lo recompensará por su buena obra.

Proverbios 19:17 (LBLA)

El que es generoso será bendecido, pues comparte su comida con los pobres.

Proverbios 22:9 (NVI)

Nubes y viento, y nada de lluvia, es quien presume de dar y nunca da nada.

Proverbios 25:14 (NVI)

Si tu enemigo tiene hambre, dale de comer; si tiene sed, dale de beber. Actuando así, harás que se avergüence de su conducta, y el Señor te lo recompensará.

Proverbios 25:21-22 (NVI)

El que da al pobre no tendrá pobreza; mas el que aparta sus ojos tendrá muchas maldiciones.

Proverbios 28:27 (RVR1960)

Bondad

Así andarás por el camino de los buenos y seguirás la senda de los justos. Pues los íntegros, los perfectos, habitarán la tierra y permanecerán en ella. Pero los malvados, los impíos, serán desarraigados y expulsados de la tierra.

Proverbios 2:20-22 (NVI)

No te niegues a hacer el bien a quien es debido, cuando tuvieres poder para hacerlo.

Proverbios 3:27 (RVR1960)

El deseo de los justos es solamente el bien; mas la esperanza de los impíos es el enojo.

Proverbios 11:23 (RVR1960)

El que con diligencia busca el bien, se procura favor, pero el que busca el mal, le vendrá.

Proverbios 11:27 (LBLA)

Bondad

El hombre bueno recibe el favor del Señor,
pero el intrigante recibe Su condena.

Proverbios 12:2 (NVI)

Cada uno se sacia del fruto de sus labios, y de
la obra de sus manos recibe su recompensa.

Proverbios 12:14 (NVI)

La congoja en el corazón del hombre lo abate;
mas la buena palabra lo alegra.

Proverbios 12:25 (RVR1960)

El buen juicio se gana el aprecio, pero los
traidores marchan a su ruina.

Proverbios 13:15 (DHH)

Los descarriados reciben su merecido; la
gente buena recibe su recompensa.

Proverbios 14:14 (NVI)

Bondad

Los malos se inclinarán delante de los buenos, y los impíos a las puertas del justo.

Proverbios 14:19 (RVR1960)

Pierden el camino los que maquinan el mal, pero hallan amor y verdad los que hacen el bien.

Proverbios 14:22 (NVI)

El que atiende a la palabra, prospera. ¡Dichoso el que confía en el SEÑOR!

Proverbios 16:20 (NVI)

Al que devuelve mal por bien, el mal no se apartará de su casa.

Proverbios 17:13 (LBLA)

Adquirir sabiduría es amarse a uno mismo; los que atesoran el entendimiento prospearán.

Proverbios 19:8 (NTV)

Bondad

Come, hijo mío, de la miel, porque es buena, y el panal es dulce a tu paladar. Así será a tu alma el conocimiento de la sabiduría; si la hallares tendrás recompensa, y al fin tu esperanza no será cortada.

Proverbios 24:13-14 (RVR1960)

El que lleva a la gente buena por mal camino caerá en su propia trampa, pero los honrados heredarán cosas buenas.

Proverbios 28:10 (NTV)

Mujer ejemplar, ¿dónde se hallará? ¡Es más valiosa que las piedras preciosas! Su esposo confía plenamente en ella y no necesita de ganancias mal habidas. Ella le es fuente de bien, no de mal, todos los días de su vida.

Proverbios 31:10-12 (NVI)

Chisme

El que anda en chismes descubre el secreto;
mas el de espíritu fiel lo guarda todo.

Proverbios 11:13 (RVR1960)

El que habla verdad declara lo que es justo,
pero el testigo falso, falsedad.

Proverbios 12:17 (LBLA)

El perverso provoca contiendas, y el chismoso divide a los buenos amigos.

Proverbios 16:28 (NVI)

Las palabras del chismoso son como bocados deliciosos, y penetran hasta el fondo de las entrañas

Proverbios 18:8 (LBLA)

El chismoso anda por ahí ventilando secretos,
así que no andes con los que hablan de más.

Proverbios 20:19 (NTV)

Chisme

Sin leña se apaga el fuego, y donde no hay chismoso, cesa la contienda.

Proverbios 26:20 (RVR1960)

Los chismes son como ricos bocados: se deslizan hasta las entrañas. Como baño de plata sobre vasija de barro son los labios zalameros de un corazón malvado.

Proverbios 26:22-23 (NVI)

El que odia disimula con sus labios; mas en su interior maquina engaño. Cuando hablare amigablemente, no le creas; porque siete abominaciones hay en su corazón.

Proverbios 26:24-25 (RVR1960)

No ofendas al esclavo delante de su amo, pues podría maldecirte y sufrirías las consecuencias.

Proverbios 30:10 (NVI)

Gobierno

Por mí reinan los reyes y promulgan leyes justas los gobernantes. Por mí gobiernan los príncipes y todos los nobles que rigen la tierra.

Proverbios 8:15-16 (NVI)

Oráculo hay en los labios del rey; en el juicio no debe errar su boca.

Proverbios 16:10 (LBLA)

El rey se complace en los labios honestos; aprecia a quien habla con la verdad.

Proverbios 16:13 (NVI)

Rugido de león es la ira del rey; su favor es como rocío sobre el pasto.

Proverbios 19:12 (NVI)

El rey que se sienta en el trono de juicio, con su mirar disipa todo mal.

Proverbios 20:8 (RVR1960)

Gobierno

El rey sabio avienta como trigo a los malvados, y los desmenuza con rueda de molino.
Proverbios 20:26 (NVI)

La misericordia y la verdad sostienen al rey;
su trono se afirma en la misericordia.
Proverbios 20:28 (NVI)

En las manos del SEÑOR el corazón del rey es
como un río: sigue el curso que el SEÑOR le
ha trazado.
Proverbios 21:1 (NVI)

Gloria de Dios es ocultar un asunto, y gloria
de los reyes el investigarlo.
Proverbios 25:2 (NVI)

Con justicia el rey da estabilidad al país.
Proverbios 29:4 (NVI)

Si un rey juzga al pobre con justicia, su trono
perdurará para siempre.
Proverbios 29:14 (NTV)

Guía

Escuche esto el sabio, y aumente su saber; reciba dirección el entendido, para discernir el proverbio y la parábola, los dichos de los sabios y sus enigmas.

Proverbios 1:5-6 (NVI)

Yo te guío por el camino de la sabiduría, te dirijo por sendas de rectitud.

Proverbios 4:11 (NVI)

Guarda, hijo mío, el mandamiento de tu padre, y no dejes la enseñanza de tu madre; te guiarán cuando andes; cuando duermas te guardarán; hablarán contigo cuando despiertes. Porque el mandamiento es lámpara, y la enseñanza es luz, y camino de vida las represiones que te instruyen.

Proverbios 6:20, 22-23 (RVR1960)

A los justos los guía su integridad; a los falsos los destruye su hipocresía.

Proverbios 11:3 (NVI)

Sin liderazgo sabio, la nación se hunde; la seguridad está en tener muchos consejeros.

Proverbios 11:14 (NTV)

El sabio de corazón controla su boca; con sus labios promueve el saber.

Proverbios 16:23 (NVI)

Los proyectos con consejo se preparan, y con dirección sabia se hace la guerra.

Proverbios 20:18 (LBLA)

Los pasos del hombre los dirige el Señor. ¿Cómo puede el hombre entender su propio camino?

Proverbios 20:24 (NVI)

Odio

El temor del SEÑOR es aborrecer el mal. El orgullo, la arrogancia, el mal camino y la boca perversa, yo aborrezco.
Proverbios 8:13 (LBLA)

Pero el que peca contra mí, a sí mismo se daña; todos los que me odian, aman la muerte.
Proverbios 8:36 (LBLA)

El odio es motivo de disensiones, pero el amor cubre todas las faltas.
Proverbios 10:12 (NVI)

El que ama la instrucción ama el conocimiento, pero el que odia la reprensión es torpe.
Proverbios 12:1 (LBLA)

Quienes no emplean la vara de disciplina odian a sus hijos.
Proverbios 13:24 (NTV)

Mejor es un plato de legumbres donde hay amor, que buey engordado y odio con él.
Proverbios 15:17 (LBLA)

El ambicioso acarrea mal sobre su familia; el que aborrece el soborno vivirá.

Proverbios 15:27 (NVI)

No frecuente tu pie la casa de tu vecino, no sea que él se hastíe de ti y te aborrezca.

Proverbios 25:17 (LBLA)

El que odia, disimula con sus labios, mas en su corazón acumula engaño. Aunque su odio se cubra con engaño, su perversidad será descubierta en la asamblea.

Proverbios 26:24, 26 (LBLA)

Los hombres sanguinarios odian al intachable, pero los rectos se preocupan por su alma.

Proverbios 29:10 (LBLA)

El que se asocia con un ladrón aborrece su propia vida; oye el juramento, pero no dice nada.

Proverbios 29:24 (LBLA)

Honor y gloria

Honra al Señor con tus riquezas y con los primeros frutos de tus cosechas. Así tus graneros se llenarán a reventar y tus bodegas rebosarán de vino nuevo.

Proverbios 3:9-10 (NVI)

Los sabios son dignos de honra, pero los necios sólo merecen deshonra.

Proverbios 3:35 (NVI)

La mujer bondadosa se gana el respeto; los hombres violentos sólo ganan riquezas.

Proverbios 11:16 (NVI)

Pobreza y vergüenza tendrá el que menosprecia el consejo; mas el que guarda la corrección recibirá honra.

Proverbios 13:18 (RVR1960)

Evitar la pelea es una señal de honor; sólo los necios insisten en pelear.

Proverbios 20:3 (NTV)

La gloria de los jóvenes es su fuerza, y la honra de los ancianos, sus canas.

Proverbios 20:29 (LBLA)

Es gloria de Dios encubrir una cosa, pero la gloria de los reyes es investigar un asunto.

Proverbios 25:2 (LBLA)

No hace bien comer mucha miel, ni es honroso buscar la propia gloria.

Proverbios 25:27 (NVI)

Como la nieve no es para el verano ni la lluvia para la cosecha tampoco el honor es para los necios.

Proverbios 26:1 (NTV)

El que cuida de la higuera comerá de sus higos, y el que vela por su amo recibirá honores.

Proverbios 27:18 (NVI)

Cuando los justos se alegran, grande es la gloria.

Proverbios 28:12 (RVR1960)

Esperanza

La esperanza de los justos es alegría; mas la esperanza de los impíos perecerá.

Proverbios 10:28 (RVR1960)

Cuando el malvado muere, mueren con él sus esperanzas e ilusiones.

Proverbios 11:7 (DHH)

Los deseos de los justos terminan bien; la esperanza de los malvados termina mal.

Proverbios 11:23 (NVI)

La esperanza que se demora enferma el corazón, pero el deseo cumplido es árbol de vida.

Proverbios 13:12 (LBLA)

El impío es derribado por su maldad, pero el justo tiene un refugio cuando muere.

Proverbios 14:32 (LBLA)

Corrige a tu hijo mientras aún hay esperanza; no te hagas cómplice de su muerte.

Proverbios 19:18 (NVI)

Esperanza

Porque ciertamente hay un futuro, y tu esperanza no será cortada.

Proverbios 23:18 (LBLA)

Sabe que así es la sabiduría para tu alma; si la hallas, entonces habrá un futuro, y tu esperanza no será cortada.

Proverbios 24:14 (LBLA)

Porque para el malo no habrá buen fin, y la lámpara de los impíos será apagada.

Proverbios 24:20 (RVR1960)

¿Has visto hombre sabio en su propia opinión? Más esperanza hay del necio que de él.

Proverbios 26:12 (RVR1960)

Más se puede esperar del necio que de quien se cree muy sabio.

Proverbios 29:20 (DHH)

Humildad y orgullo

El Señor se burla de los burlones, pero muestra su bondad a los humildes.

Proverbios 3:34 (NTV)

Seis cosas hay que odia el Señor, y siete son abominación para Él: ojos soberbios, lengua mentirosa, manos que derraman sangre inocente, un corazón que maquina planes perversos, pies que corren rápidamente hacia el mal, un testigo falso que dice mentiras, y el que siembra discordia entre hermanos.

Proverbios 6:16-19 (LBLA)

El temor del Señor es aborrecer el mal. El orgullo, la arrogancia, el mal camino y la boca perversa, yo aborrezco.

Proverbios 8:13 (LBLA)

El orgullo lleva a la deshonra, pero con la humildad viene la sabiduría.

Proverbios 11:2 (NTV)

Humildad y orgullo

El orgullo sólo genera contiendas, pero la sabiduría está con quienes oyen consejos.

Proverbios 13:10 (NVI)

El Señor derribará la casa de los soberbios, pero afianzará los linderos de la viuda.

Proverbios 15:25 (LBLA)

El temor del Señor es instrucción de sabiduría, y antes de la gloria está la humildad.

Proverbios 15:33 (LBLA)

Abominación al Señor es todo el que es altivo de corazón; ciertamente no quedará sin castigo.

Proverbios 16:5 (LBLA)

Tras el orgullo viene el fracaso; tras la altanería, la caída. Más vale humillarse con los pobres que hacerse rico con los orgullosos.

Proverbios 16:18-19 (DHH)

Humildad y orgullo

Al fracaso lo precede la soberbia humana; a los honores los precede la humildad.

Proverbios 18:12 (NVI)

Los ojos arrogantes, el corazón orgulloso, y las malas acciones, son pecado.

Proverbios 21:4 (NTV)

Altivo, arrogante y escarnecedor son los nombres del que obra con orgullo insolente.

Proverbios 21:24 (LBLA)

La verdadera humildad y el temor del Señor conducen a riquezas, a honor y a una larga vida.

Proverbios 22:4 (NTV)

No te jactes del día de mañana, porque no sabes lo que el día traerá.

Proverbios 27:1 (NVI)

Que te alabe el extraño, y no tu boca; el forastero, y no tus labios.

Proverbios 27:2 (LBLA)

En el crisol se prueba la plata; en el horno se prueba el oro; ante las alabanzas, el hombre.

Proverbios 27:21 (NVI)

El orgullo termina en humillación, mientras que la humildad trae honra.

Proverbios 29:23 (NTV)

Hay quienes se creen importantes, y miran a otros con altanería.

Proverbios 30:13 (DHH)

Si neciamente has procurado enaltecerte, o si has pensado hacer mal, pon el dedo sobre tu boca.

Proverbios 30:32 (RVR1960)

Instrucción

Los proverbios de Salomón, hijo de David, rey de Israel: para aprender sabiduría e instrucción, para discernir dichos profundos, para recibir instrucción en sabia conducta, justicia, juicio y equidad; para dar a los simples prudencia, y a los jóvenes conocimiento y discreción. El sabio oirá y crecerá en conocimiento, y el inteligente adquirirá habilidad, para entender proverbio y metáfora, las palabras de los sabios y sus enigmas. El temor del Señor es el principio de la sabiduría; los necios desprecian la sabiduría y la instrucción.

Proverbios 1:1-7 (LBLA)

Oye, hijo mío, la instrucción de tu padre, y no abandones la enseñanza de tu madre.

Proverbios 1:8 (LBLA)

Hijo mío, no te olvides de mi ley, y tu corazón guarde mis mandamientos.

Proverbios 3:1 (RVR1960)

Instrucción

Oíd, hijos, la instrucción de un padre, y prestad atención para que ganéis entendimiento, porque os doy buena enseñanza; no abandonéis mi instrucción. También yo fui hijo para mi padre, tierno y único a los ojos de mi madre, y él me enseñaba y me decía: Retenga tu corazón mis palabras, guarda mis mandamientos y vivirás. Adquiere sabiduría, adquiere inteligencia; no te olvides ni te apartes de las palabras de mi boca.

Proverbios 4:1-5 (LBLA)

Aférrate a la instrucción, no la dejes escapar; cuídala bien, que ella es tu vida.

Proverbios 4:13 (NVI)

Morirá por falta de instrucción, y por su mucha necedad perecerá.

Proverbios 5:23 (LBLA)

Instrucción

Porque el mandamiento es lámpara, y la enseñanza es luz, y camino de vida las reprensiones que te instruyen.

Proverbios 6:23 (RVR1960)

Opten por mi instrucción, no por la plata; por el conocimiento, no por el oro refinado. Vale más la sabiduría que las piedras preciosas, y ni lo más deseable se le compara.

Proverbios 8:10-11 (NVI)

Instruye a los sabios, y se volverán aún más sabios. Enseña a los justos, y aprenderán aún más.

Proverbios 9:9 (NTV)

El que atiende la corrección va camino a la vida; el que la desatiende, va camino a la perdición.

Proverbios 10:17 (DHH)

Instrucción

El hijo sabio acepta la corrección del padre; el insolente no hace caso de reprensiones.

Proverbios 13:1 (DHH)

Pobreza y vergüenza vendrán al que menosprecia la instrucción, mas el que acepta la reprensión será honrado.

Proverbios 13:18 (LBLA)

Rechazar la corrección es despreciarse a sí mismo; atender a la reprensión es ganar entendimiento.

Proverbios 15:32 (NVI)

Cesa, hijo mío, de escuchar la instrucción, y te desviarás de las palabras de sabiduría.

Proverbios 19:27 (LBLA)

Cuando se castiga al insolente, aprende el inexperto; cuando se instruye al sabio, el inexperto adquiere conocimiento.

Proverbios 21:11 (NVI)

Integridad

Pues los íntegros, los perfectos, habitarán la tierra y permanecerán en ella. Pero los malvados, los impíos, serán desarraigados y expulsados de la tierra.

Proverbios 2:21-22 (NVI)

El que anda en integridad anda seguro, mas el que pervierte sus caminos será descubierto.

Proverbios 10:9 (LBLA)

La integridad de los rectos los guiará, mas la perversidad de los pérfidos los destruirá.

Proverbios 11:3 (LBLA)

La justicia protege al que anda en integridad, pero la maldad arruina al pecador.

Proverbios 13:6 (NVI)

La casa de los perversos será destruida, pero la humilde morada de los justos prosperará.

Proverbios 14:11 (NTV)

La senda de los rectos es apartarse del mal;
el que guarda su camino preserva su alma.

Proverbios 16:17 (LBLA)

No está bien castigar al inocente, ni azotar
por su rectitud a gente honorable.

Proverbios 17:26 (NVI)

Más vale pobre e intachable que necio y
embustero.

Proverbios 19:1 (NVI)

¡Felices los hijos que deja quien ha vivido con
rectitud y honradez!

Proverbios 20:7 (DHH)

Aun a los niños se les conoce por su modo
de actuar, si su conducta es o no pura y recta.

Proverbios 20:11 (NTV)

Integridad

Torcido es el camino del culpable, pero recta la conducta del hombre honrado.

Proverbios 21:8 (NVI)

El hombre impío endurece su rostro; mas el recto ordena sus caminos.

Proverbios 21:29 (RVR1960)

Más vale pobre pero honrado, que rico pero perverso.

Proverbios 28:6 (NVI)

Los asesinos aborrecen a los íntegros, y tratan de matar a los justos.

Proverbios 29:10 (NVI)

Los hombres honrados no soportan a los malvados, y los malvados no soportan a los honrados.

Proverbios 29:27 (DHH)

Celos

No envidies al hombre violento, y no escojas ninguno de sus caminos; porque el hombre perverso es abominación para el Señor; pero Él es amigo íntimo de los rectos.

Proverbios 3:31-32 (LBLA)

Pero al que comete adulterio le faltan sesos; el que así actúa se destruye a sí mismo. No sacará más que golpes y vergüenzas, y no podrá borrar su oprobio. Porque los celos desatan la furia del esposo, y éste no perdonará en el día de la venganza.

Proverbios 6:32-34 (NVI)

La paz en el corazón da salud al cuerpo; los celos son como cáncer en los huesos.

Proverbios 14:30 (NTV)

No envidies en tu corazón a los pecadores; más bien, muéstrate siempre celoso en el temor del Señor. Cuentas con una esperanza futura, la cual no será destruida.

Proverbios 23:17-18 (NVI)

Celos

No envidies a los malvados, ni procures su compañía; porque en su corazón traman violencia, y no hablan más que de cometer fechorías.

Proverbios 24:1-2 (NVI)

No te impacientes a causa de los malhechores, ni tengas envidia de los impíos, porque no habrá futuro para el malo. La lámpara de los impíos será apagada.

Proverbios 24:19-20 (LBLA)

El enojo es cruel, y la ira es como una inundación, pero los celos son aún más peligrosos.

Proverbios 27:4 (NTV)

El sepulcro, la muerte y los ojos del hombre jamás se dan por satisfechos.

Proverbios 27:20 (NVI)

¡Bendita sea tu fuente! ¡Goza con la esposa de tu juventud!

Proverbios 5:18 (NVI)

El hijo sabio alegra al padre, pero el hijo necio es tristeza de su madre.

Proverbios 10:1 (RVR1960)

Para los justos, el porvenir es alegre; para los malvados, ruinoso.

Proverbios 10:28 (DHH)

Hay engaño en el corazón de los que traman el mal, y gozo en los consejeros de paz.

Proverbios 12:20 (LBLA)

La angustia abate el corazón del hombre, pero una palabra amable lo alegra.

Proverbios 12:25 (NVI)

Una mirada radiante alegra el corazón, y las buenas noticias renuevan las fuerzas.

Proverbios 15:30 (NVI)

Gozo y alegría

Cuando se hace justicia, el justo se alegra, y a los malhechores les llega la ruina.

Proverbios 21:15 (DHH)

Hijo mío, si tu corazón fuere sabio, también a mí se me alegrará el corazón; mis entrañas también se alegrarán cuando tus labios hablaren cosas rectas.

Proverbios 23:15-16 (RVR1960)

El padre del justo experimenta gran regocijo; quien tiene un hijo sabio se solaza en él. ¡Que se alegren tu padre y tu madre! ¡Que se regocije la que te dio la vida!

Proverbios 23:24-25 (NVI)

No te regocijes cuando caiga tu enemigo, y no se alegre tu corazón cuando tropiece; no sea que el Señor lo vea y le desagrade, y aparte de él Su ira.

Proverbios 24:17-18 (LBLA)

Para alegrar el corazón, buenos perfumes; para endulzar el alma, un consejo de amigos.

Proverbios 27:9 (DHH)

Hijo mío, sé sabio y alegra mi corazón; así podré responder a los que me desprecian.

Proverbios 27:11 (NVI)

Cuando los justos triunfan, todo el mundo se alegra. Cuando los perversos toman el control, todos se esconden.

Proverbios 28:12 (NTV)

Cuando los justos gobiernan, el pueblo se alegra. Pero cuando los perversos están en el poder, el pueblo gime.

Proverbios 29:2 (NTV)

Está vestida de fortaleza y dignidad, y se ríe sin temor al futuro.

Proverbios 31:25 (NTV)

Juicio

Él cuida las sendas de los justos y protege a los que le son fieles. Entonces comprenderás lo que es correcto, justo e imparcial y encontrarás el buen camino que debes seguir.

Proverbios 2:8-9 (NTV)

Voy por el camino de la rectitud, por los senderos de la justicia, enriqueciendo a los que me aman y acrecentando sus tesoros.

Proverbios 8:20-21 (NVI)

En el campo del pobre hay abundante comida, pero ésta se pierde donde hay injusticia.

Proverbios 13:23 (NVI)

Los perversos aceptan sobornos a escondidas para pervertir el curso de la justicia.

Proverbios 17:23 (NTV)

Juicio

No está bien castigar al inocente, ni azotar por su rectitud a gente honorable.

Proverbios 17:26 (NVI)

No es bueno mostrar preferencia por el impío, para ignorar al justo en el juicio.

Proverbios 18:5 (LBLA)

El testigo falso se burla de la justicia; el malvado lanza maldad por la boca.

Proverbios 19:28 (DHH)

El hacer justicia y derecho es más deseado por el SEÑOR que el sacrificio.

Proverbios 21:3 (LBLA)

La violencia de los impíos los arrastrará, porque se niegan a obrar con justicia.

Proverbios 21:7 (LBLA)

Juicio

Cuando se hace justicia, se alegra el justo y tiembla el malhechor.

Proverbios 21:15 (NVI)

También éstos son dichos de los sabios: No es correcto ser parcial en el juicio.

Proverbios 24:23 (NVI)

Los que abandonan la ley alaban a los malvados; los que la obedecen luchan contra ellos. Los malvados nada entienden de la justicia; los que buscan al SEÑOR lo entienden todo.

Proverbios 28:4-5 (NVI)

Muchos buscan el favor del gobernante, pero la justicia proviene del SEÑOR.

Proverbios 29:26 (NTV)

Abre tu boca, juzga con justicia, y defiende la causa del pobre y del menesteroso.

Proverbios 31:9 (RVR1960)

Conocimiento

El temor del Señor es el principio del conocimiento; los necios desprecian la sabiduría y la disciplina.

Proverbios 1:7 (NVI)

Jóvenes inexpertos, burlones y necios, ¿hasta cuándo amarán la inexperiencia, y hallarán placer en sus burlas, y despreciarán el saber?

Proverbios 1:22 (DHH)

Hijo mío, si haces tuyas mis palabras y atesoras mis mandamientos; si llamas a la inteligencia y pides discernimiento; entonces comprenderás el temor del Señor y hallarás el conocimiento de Dios.

Proverbios 2:1, 3, 5 (NVI)

Conocimiento

Hijo mío, pon atención a mi sabiduría y presta oído a mi buen juicio, para que al hablar mantengas la discreción y retengas el conocimiento.

Proverbios 5:1-2 (NVI)

Conforme a la justicia son todas las palabras de mi boca, no hay en ellas nada torcido ni perverso. Todas son sinceras para el que entiende, y rectas para los que han hallado conocimiento. Yo, la sabiduría, habito con la prudencia, y he hallado conocimiento y discreción.

Proverbios 8:8-9, 12 (LBLA)

Los sabios atesoran conocimiento, pero la boca del necio es ruina cercana.

Proverbios 10:14 (LBLA)

Con la boca el impío destruye a su prójimo, pero los justos se libran por el conocimiento.

Proverbios 11:9 (NVI)

Conocimiento

El hombre prudente no muestra lo que sabe, pero el corazón de los necios proclama su necedad.

Proverbios 12:23 (NVI)

El insolente busca sabiduría y no la halla; para el entendido, el conocimiento es cosa fácil.

Proverbios 14:6 (NVI)

El verdadero sabio emplea pocas palabras; la persona con entendimiento es serena.

Proverbios 17:27 (NTV)

El corazón del prudente adquiere conocimiento, y el oído del sabio busca el conocimiento.

Proverbios 18:15 (LBLA)

El afán sin conocimiento no vale nada; mucho yerra quien mucho corre.

Proverbios 19:2 (NVI)

Conocimiento

Cuando se castiga al insolente, aprende el inexperto; cuando se instruye al sabio, el inexperto adquiere conocimiento.

Proverbios 21:11 (NVI)

Los ojos del SEÑOR protegen el saber, pero desbaratan las palabras del traidor.

Proverbios 22:12 (NVI)

Con sabiduría se construye la casa; con inteligencia se echan los cimientos. Con buen juicio se llenan sus cuartos de bellos y extraordinarios tesoros.

Proverbios 24:3-4 (NVI)

Así será a tu alma el conocimiento de la sabiduría; si la hallares tendrás recompensa, y al fin tu esperanza no será cortada.

Proverbios 24:14 (RVR1960)

¡Anda, perezoso, fíjate en la hormiga! ¡Fíjate en lo que hace, y adquiere sabiduría! No tiene quien la mande, ni quien la vigile ni gobierne; con todo, en el verano almacena provisiones y durante la cosecha recoge alimentos. Perezoso, ¿cuánto tiempo más seguirás acostado? ¿Cuándo despertarás de tu sueño? Un corto sueño, una breve siesta, un pequeño descanso, cruzado de brazos... ¡y te asaltará la pobreza como un bandido, y la escasez como un hombre armado!

Proverbios 6:6-11 (NVI)

Como el vinagre a los dientes, y como el humo a los ojos, así es el perezoso a los que lo envían.

Proverbios 10:26 (RVR1960)

El de manos diligentes gobernará; pero el perezoso será subyugado.

Proverbios 12:24 (NVI)

El perezoso no atrapa presa, pero el diligente ya posee una gran riqueza.

Proverbios 12:27 (NVI)

Pereza

El alma del perezoso desea, y nada alcanza; mas el alma de los diligentes será prosperada.

Proverbios 13:4 (RVR1960)

Para el perezoso, el camino está lleno de espinas; para el hombre recto, el camino es amplia calzada.

Proverbios 15:19 (DHH)

El perezoso es tan malo como el que destruye cosas.

Proverbios 18:9 (NTV)

La pereza conduce al sueño profundo; el holgazán pasará hambre.

Proverbios 19:15 (NVI)

El perezoso mete la mano en el plato, pero no es capaz ni de llevársela a la boca.

Proverbios 19:24 (DHH)

Pereza

Cuando es tiempo de arar, el perezoso no ara; pero al llegar la cosecha, buscará y no encontrará.

Proverbios 20:4 (DHH)

De deseos se muere el perezoso, porque sus manos no quieren trabajar.

Proverbios 21:25 (DHH)

Así como la puerta gira sobre sus bisagras, el perezoso da vueltas en la cama.

Proverbios 26:14 (NTV)

El perezoso se cree más sabio que siete sabios que saben responder.

Proverbios 26:16 (NVI)

Un corto sueño, una breve siesta, un pequeño descanso, cruzado de brazos... ¡y te asaltará la pobreza como un bandido, y la escasez, como un hombre armado!

Proverbios 24:33-34 (NVI)

Vida

Tales son las sendas de todo el que es dado a la codicia, la cual quita la vida de sus poseedores.

Proverbios 1:19 (RVR1960)

Hijo mío, no te olvides de mi ley, y tu corazón guarde mis mandamientos; porque largura de días y años de vida y paz te aumentarán.

Proverbios 3:1-2 (RVR1960)

Porque el que me halla, halla la vida, y alcanza el favor del SEÑOR.

Proverbios 8:35 (LBLA)

Pues por mí se multiplicarán tus días, y años de vida te serán añadidos.

Proverbios 9:11 (LBLA)

Como la justicia conduce a la vida, así el que sigue el mal lo hace para su muerte.

Proverbios 11:19 (RVR1960)

Vida

En el camino de la justicia está la vida; y en sus caminos no hay muerte.

Proverbios 12:28 (RVR1960)

El temor del Señor es fuente de vida, para evadir los lazos de la muerte.

Proverbios 14:27 (LBLA)

El sabio sube por el sendero de vida, para librarse de caer en el sepulcro.

Proverbios 15:24 (NVI)

El temor del Señor conduce a la vida, para dormir satisfecho.

Proverbios 19:23 (LBLA)

El que sigue la justicia y la misericordia hallará la vida, la justicia y la honra.

Proverbios 21:21 (RVR1960)

La recompensa de la humildad y el temor del Señor son la riqueza, el honor y la vida.

Proverbios 22:4 (LBLA)

Amor

Que nunca te abandonen el amor y la verdad: llévalos siempre alrededor de tu cuello y escríbelos en el libro de tu corazón. Contarás con el favor de Dios y tendrás buena fama entre la gente.

Proverbios 3:3-4 (NVI)

Hijo mío, no rechaces la disciplina del Señor ni aborrezcas Su represión, porque el Señor a quien ama reprende, como un padre al hijo en quien se deleita.

Proverbios 3:11-12 (LBLA)

Amo a los que me aman, y los que me buscan con diligencia me hallarán.

Proverbios 8:17 (LBLA)

Voy por el camino de la rectitud, por los senderos de la justicia, enriqueciendo a los que me aman y acrecentando sus tesoros.

Proverbios 8:20-21 (NVI)

Amor

No reprendas al escarnecedor, para que no te aborrezca; corrige al sabio, y te amará.

Proverbios 9:8 (RVR1960)

El odio despierta rencillas; pero el amor cubrirá todas las faltas.

Proverbios 10:12 (RVR1960)

Mejor es la comida de legumbres donde hay amor, que de buey engordado donde hay odio.

Proverbios 15:17 (RVR1960)

El que perdona la ofensa cultiva el amor; el que insiste en la ofensa divide a los amigos.

Proverbios 17:9 (NVI)

En todo tiempo ama el amigo; para ayudar en la adversidad nació el hermano.

Proverbios 17:17 (NVI)

Mejor es represión manifiesta que amor oculto.

Proverbios 27:5 (RVR1960)

Mentira

Seis cosas hay que odia el Señor, y siete son abominación para Él: ojos soberbios, lengua mentirosa, manos que derraman sangre inocente, un corazón que maquina planes perversos, pies que corren rápidamente hacia el mal, un testigo falso que dice mentiras, y el que siembra discordia entre hermanos.

Proverbios 6:16-19 (LBLA)

El que encubre el odio es de labios mentirosos; y el que propaga calumnia es necio.

Proverbios 10:18 (RVR1960)

El labio veraz permanecerá para siempre; mas la lengua mentirosa sólo por un momento.

Proverbios 12:19 (RVR1960)

Los labios mentirosos son abominación al Señor, pero los que obran fielmente son su deleite.

Proverbios 12:22 (LBLA)

Mentira

El justo aborrece la mentira; el malvado acarrea vergüenza y deshonra.

Proverbios 13:5 (NVI)

El testigo veraz no mentirá, pero el testigo falso habla mentiras.

Proverbios 14:5 (LBLA)

No conviene al necio la altilocuencia; ¡Cuánto menos al príncipe el labio mentiroso!

Proverbios 17:7 (RVR1960)

El testigo falso no quedará sin castigo, y el que habla mentiras no escapará.

Proverbios 19:5 (RVR1960)

La fortuna amasada por la lengua embustera se esfuma como la niebla y es mortal como una trampa.

Proverbios 21:6 (NVI)

La lengua mentirosa odia a sus víctimas; la boca lisonjera lleva a la ruina.

Proverbios 26:28 (NVI)

Misericordia

La misericordia y la verdad nunca se aparten de ti; átalas a tu cuello, escríbelas en la tabla de tu corazón. Así hallarás favor y buena estimación ante los ojos de Dios y de los hombres.

Proverbios 3:3-4 (LBLA)

A su alma hace bien el hombre misericordioso; mas el cruel se atormenta a sí mismo.
Proverbios 11:17 (RVR1960)

El justo cuida de la vida de su bestia; mas el corazón de los impíos es cruel.

Proverbios 12:10 (RVR1960)

¿No yerran los que piensan el mal? Misericordia y verdad alcanzarán los que piensan el bien.

Proverbios 14:22 (RVR1960)

El que oprime al pobre afrenta a su Hacedor; mas el que tiene misericordia del pobre, lo honra.

Proverbios 14:31 (RVR1960)

Misericordia

Con misericordia y verdad se expía la culpa, y con el temor del SEÑOR el hombre se aparta del mal.

Proverbios 16:6 (LBLA)

El que se apiada del pobre presta al SEÑOR, y Él lo recompensará por su buena obra.

Proverbios 19:17 (LBLA)

Misericordia y verdad guardan al rey, y con clemencia se sustenta su trono.

Proverbios 20:28 (RVR1960)

El que amasa riquezas mediante la usura las acumula para el que se compadece de los pobres.

Proverbios 28:8 (NVI)

El que encubre sus pecados no prosperará; mas el que los confiesa y se aparta alcanzará misericordia.

Proverbios 28:13 (RVR1960)

Prójimo

No digas a tu prójimo: Anda, y vuelve, y mañana te daré, cuando tienes contigo qué darle.

Proverbios 3:28 (RVR1960)

No trames el mal contra tu prójimo, mientras habite seguro a tu lado.

Proverbios 3:29 (LBLA)

Es un pecado despreciar al prójimo; ¡dichoso el que se compadece de los pobres!

Proverbios 14:21 (NVI)

El que es imprudente se compromete por otros, y sale fiador de su prójimo.

Proverbios 17:18 (NVI)

No seas, sin causa, testigo contra tu prójimo, y no engañes con tus labios.

Proverbios 24:28 (LBLA)

Discute tu caso con tu prójimo y no descubras el secreto de otro, no sea que te reproche el que lo oiga y tu mala fama no se acabe.

Proverbios 25:9-10 (LBLA)

Martillo y cuchillo y saeta aguda es el hombre que habla contra su prójimo falso testimonio.

Proverbios 25:18 (RVR1960)

Como el enloquecido que lanza teas encendidas, flechas y muerte, así es el hombre que engaña a su prójimo, y dice: ¿Acaso no estaba yo bromeando?

Proverbios 26:18-19 (LBLA)

No dejes a tu amigo, ni al amigo de tu padre; ni vayas a la casa de tu hermano en el día de tu aflicción. Mejor es el vecino cerca que el hermano lejos.

Proverbios 27:10 (RVR1960)

Obediencia

Pero el que me escucha vivirá seguro, y descansará, sin temor al mal.

Proverbios 1:33 (LBLA)

Oíd, hijos, la instrucción de un padre, y prestad atención para que ganéis entendimiento.

Proverbios 4:1 (LBLA)

Oye, hijo mío, recibe mis palabras, y muchos serán los años de tu vida.

Proverbios 4:10 (LBLA)

Hijo mío, pon atención a mi sabiduría y presta oído a mi buen juicio, para que al hablar mantengas la discreción y retengas el conocimiento.

Proverbios 5:1-2 (NVI)

Ahora pues, hijos míos, escuchadme, y no os apartéis de las palabras de mi boca.

Proverbios 5:7 (LBLA)

Obediencia

Atiendan a mi instrucción, y sean sabios;
no la descuiden. Dichosos los que me escuchan y a mis puertas están atentos cada día,
esperando a la entrada de mi casa.

Proverbios 8:33-34 (NVI)

El oído que escucha las reprensiones de la
vida, morará entre los sabios.

Proverbios 15:31 (LBLA)

Cesa, hijo mío, de escuchar la instrucción,
y te desviarás de las palabras de sabiduría.

Proverbios 19:27 (LBLA)

El oído que oye y el ojo que ve, ambos los ha
hecho el Señor.

Proverbios 20:12 (LBLA)

Presta atención, escucha mis palabras; aplica
tu corazón a mi conocimiento.

Proverbios 22:17 (NVI)

Paz

No te olvides de mi ley, y tu corazón guarde mis mandamientos; porque largura de días y años de vida y paz te aumentarán.

Proverbios 3:1-2 (RVR1960)

Dichoso el que halla sabiduría, el que adquiere inteligencia. Porque ella es de más provecho que la plata y rinde más ganancias que el oro. Sus caminos son placenteros y en sus senderos hay paz.

Proverbios 3:13-14, 17 (NVI)

El que carece de entendimiento menosprecia a su prójimo; mas el hombre prudente calla.

Proverbios 11:12 (RVR1960)

En los que fraguan el mal habita el engaño, pero hay gozo para los que promueven la paz.

Proverbios 12:20 (NVI)

El corazón tranquilo da vida al cuerpo, pero la envidia corroe los huesos.

Proverbios 14:30 (NVI)

Cuando los caminos del hombre son agradables al Señor, aun a sus enemigos hace que estén en paz con él.

Proverbios 16:7 (LBLA)

Mejor comer pan duro donde reina la paz, que vivir en una casa llena de banquetes donde hay peleas.

Proverbios 17:1 (NTV)

Aun el necio, cuando calla, es tenido por sabio, cuando cierra los labios, por prudente.

Proverbios 17:28 (LBLA)

Si el hombre sabio contendiere con el necio, que se enoje o que se ría, no tendrá reposo.

Proverbios 29:9 (RVR1960)

Disciplina a tu hijo, y te traerá tranquilidad; te dará muchas satisfacciones.

Proverbios 29:17 (NVI)

Pobreza y riqueza

Honra al Señor con tus bienes y con las primicias de todos tus frutos; entonces tus graneros se llenarán con abundancia y tus lagares rebosarán de mosto.

Proverbios 3:8-10 (LBLA)

Las riquezas y la honra están conmigo; riquezas duraderas, y justicia. Mejor es mi fruto que el oro, y que el oro refinado; y mi rédito mejor que la plata escogida.

Proverbios 8:18-19 (RVR1960)

La mano negligente empobrece; mas la mano de los diligentes enriquece.

Proverbios 10:4 (RVR1960)

La riqueza del rico es su fortaleza, la pobreza del pobre es su ruina.

Proverbios 10:15 (NTV)

La bendición del Señor es la que enriquece, y Él no añade tristeza con ella.

Proverbios 10:22 (LBLA)

Pobreza y riqueza

Hay quienes reparten, y les es añadido más; y hay quienes retienen más de lo que es justo, pero vienen a pobreza.

Proverbios 11:24 (RVR1960)

Hay quien pretende ser rico, y no tiene nada; hay quien parece ser pobre, y todo lo tiene.

Proverbios 13:7 (NVI)

Las riquezas de vanidad disminuirán; pero el que recoge con mano laboriosa las aumenta.

Proverbios 13:11 (RVR1960)

Al pobre hasta sus amigos lo aborrecen, pero son muchos los que aman al rico.

Proverbios 14:20 (NVI)

Mejor es lo poco con el temor del SEÑOR, que gran tesoro y turbación con Él.

Proverbios 15:16 (LBLA)

Pobreza y riqueza

Las riquezas traen muchos amigos; mas el pobre es apartado de su amigo.

Proverbios 19:4 (RVR1960)

El que se apiada del pobre presta al Señor, y Él lo recompensará por su buena obra.

Proverbios 19:17 (LBLA)

No ames el sueño, para que no te empobrezcas; abre tus ojos, y te saciarás de pan.

Proverbios 20:13 (RVR1960)

El que ama el placer será pobre; el que ama el vino y los ungüentos no se enriquecerá.

Proverbios 21:17 (LBLA)

Más vale el buen nombre que las muchas riquezas, y el favor que la plata y el oro.

Proverbios 22:1 (LBLA)

Pobreza y riqueza

Recompensa de la humildad y del temor del Señor son las riquezas, la honra y la vida.

Proverbios 22:4 (NVI)

El que oprime al pobre para aumentar sus ganancias, o que da al rico, ciertamente se empobrecerá.

Proverbios 22:16 (RVR1960)

El que trabaja la tierra tendrá abundante comida; el que sueña despierto sólo abundará en pobreza.

Proverbios 28:19 (NVI)

Se apresura a ser rico el avaro, y no sabe que le ha de venir pobreza.

Proverbios 28:22 (RVR1960)

Vanidad y palabra mentirosa aparta de mí; no me des pobreza ni riquezas; manténme del pan necesario.

Proverbios 30:8 (RVR1960)

Reprensión

Respondan a mis reprensiones, y yo les abriré mi corazón; les daré a conocer mis pensamientos.

Proverbios 1:23 (NVI)

Por cuanto aborrecieron el conocimiento y no quisieron temer al SEÑOR; por cuanto no siguieron mis consejos, sino que rechazaron mis reprensiones, cosecharán el fruto de su conducta, se hartarán con sus propias intrigas.

Proverbios 1:29-31 (NVI)

Hijo mío, no rechaces la disciplina del SEÑOR ni aborrezcas Su reprensión, porque el SEÑOR a quien ama reprende, como un padre al hijo en quien se deleita.

Proverbios 3:11-12 (LBLA)

No reprendas al insolente, no sea que acabe por odiarte; reprende al sabio, y te amará.

Proverbios 9:8 (NVI)

Camino a la vida es guardar la instrucción; pero quien desecha la represión, yerra.

Proverbios 10:17 (RVR1960)

El que ama la instrucción ama la sabiduría; mas el que aborrece la represión es ignorante.

Proverbios 12:1 (RVR1960)

El que desprecia a la disciplina sufre pobreza y deshonra; el que atiende a la corrección recibe grandes honores.

Proverbios 13:18 (NVI)

La disciplina severa es para el que abandona el camino; el que aborrece la represión morirá.

Proverbios 15:10 (LBLA)

El oído que escucha las represiones de la vida, morará entre los sabios. El que tiene en poco la disciplina se desprecia a sí mismo, mas el que escucha las represiones adquiere entendimiento.

Proverbios 15:31-32 (LBLA)

Represión

Cuando el escarnecedor es castigado, el simple se hace sabio; pero cuando se instruye al sabio, adquiere conocimiento.

Proverbios 21:11 (LBLA)

No rehúses corregir al muchacho; porque si lo castigas con vara, no morirá.

Proverbios 23:13 (RVR1960)

Manzana de oro con figuras de plata es la palabra dicha como conviene. Como zarcillo de oro y joyel de oro fino es el que reprende al sabio que tiene oído dócil.

Proverbios 25:11-12 (RVR1960)

La vara de la disciplina imparte sabiduría, pero el hijo malcriado avergüenza a su madre.

Proverbios 29:15 (NVI)

Corrige a tu hijo, y te dará descanso, y dará alegría a tu alma.

Proverbios 29:17 (RVR1960)

Así andarás por el camino de los buenos y seguirás la senda de los justos.

Proverbios 2:20 (NVI)

La maldición del Señor está sobre la casa del impío, pero Él bendice la morada del justo.

Proverbios 3:33 (LBLA)

La senda de los justos se asemeja a los primeros albores de la aurora: su esplendor va en aumento hasta que el día alcanza su plenitud. Pero el camino de los malvados es como la más densa oscuridad; ¡ni siquiera saben con qué tropiezan!

Proverbios 4:18-19 (NVI)

Hay bendiciones sobre la cabeza del justo; pero violencia cubrirá la boca de los impíos. La memoria del justo será bendita; mas el nombre de los impíos se pudrirá.

Proverbios 10:6-7 (RVR1960)

Lo que el malvado teme, eso le ocurre; lo que el justo desea, eso recibe. Pasa la tormenta y desaparece el malvado, pero el justo permanece firme para siempre.

Proverbios 10:24-25 (NVI)

Tarde o temprano, el malo será castigado; mas la descendencia de los justos será librada.

Proverbios 11:21 (RVR1960)

El fruto del justo es árbol de vida; y el que gana almas es sabio. Ciertamente el justo será recompensado en la tierra.

Proverbios 11:30-31 (RVR1960)

Los pensamientos de los justos son rectitud; mas los consejos de los impíos, engaño. Las palabras de los impíos son asechanzas para derramar sangre; mas la boca de los rectos los librará.

Proverbios 12:5-6 (RVR1960)

En el camino de la justicia está la vida; y en sus caminos no hay muerte.

Proverbios 12:28 (RVR1960)

El justo aborrece la palabra de mentira; mas el impío se hace odioso e infame. La justicia guarda al de perfecto camino; mas la impiedad trastornará al pecador.

Proverbios 13:5-6 (RVR1960)

El mal perseguirá a los pecadores, mas los justos serán premiados con el bien.

Proverbios 13:21 (RVR1960)

El justo come hasta quedar saciado, pero el malvado se queda con hambre.

Proverbios 13:25 (NVI)

Por su maldad será lanzado el impío; mas el justo en su muerte tiene esperanza.

Proverbios 14:32 (RVR1960)

Justicia

En la casa del justo hay gran abundancia; en las ganancias del malvado, grandes problemas.

Proverbios 15:6 (NVI)

El que justifica al impío, y el que condena al justo, ambos son igualmente abominación al SEÑOR.

Proverbios 17:15 (LBLA)

El nombre del SEÑOR es torre fuerte, a ella corre el justo y está a salvo.

Proverbios 18:10 (LBLA)

El justo observa la casa del impío, llevando al impío a la ruina.

Proverbios 21:12 (LBLA)

El hombre malo es atrapado en la transgresión, pero el justo canta y se regocija.

Proverbios 29:6 (LBLA)

Vergüenza

Los sabios heredan honra, ¡pero los necios son avergonzados!

Proverbios 3:35 (NTV)

Pero al que comete adulterio le faltan sesos; el que así actúa se destruye a sí mismo. No sacará más que golpes y vergüenzas, y no podrá borrar su oprobio.

Proverbios 6:32-33 (NVI)

El que corrige al escarnecedor, atrae sobre sí deshonra, y el que reprende al impío recibe insultos.

Proverbios 9:7 (LBLA)

El que recoge en el verano es hijo sabio, el que duerme durante la siega es hijo que avergüenza.

Proverbios 10:5 (LBLA)

Vergüenza

El enojo del necio se conoce al instante, mas el prudente oculta la deshonra.

Proverbios 12:16 (LBLA)

El justo aborrece la mentira; el malvado acarrea vergüenza y deshonra.

Proverbios 13:5 (NVI)

El rey favorece al siervo inteligente, pero descarga su ira sobre el sinvergüenza.

Proverbios 14:35 (NVI)

El siervo sabio gobernará al hijo sinvergüenza, y compartirá la herencia con los otros hermanos.

Proverbios 17:2 (NVI)

Con la maldad, viene el desprecio, y con la vergüenza llega el oprobio.

Proverbios 18:3 (NVI)

El que responde antes de escuchar, cosecha necedad y vergüenza.

Proverbios 18:13 (LBLA)

El que roba a su padre y echa a la calle a su madre es un hijo infame y sinvergüenza.

Proverbios 19:26 (NVI)

No entres apresuradamente en pleito, no sea que no sepas qué hacer al fin, después que tu prójimo te haya avergonzado. Trata tu causa con tu compañero, y no descubras el secreto a otro, no sea que te deshonre el que lo oyere, y tu infamia no pueda repararse.

Proverbios 25:8-10 (RVR1960)

El que guarda la ley es hijo prudente; mas el que es compañero de glotones avergüenza a su padre.

Proverbios 28:7 (RVR1960)

No seas sabio en tu propia opinión; más bien, teme al Señor y huye del mal. Esto infundirá salud a tu cuerpo y fortalecerá tu ser.

Proverbios 3:7-8 (NVI)

Hijo mío, presta atención a mis palabras, inclina tu oído a mis razones; que no se aparten de tus ojos, guárdalas en medio de tu corazón. Porque son vida para los que las hallan, y salud para todo su cuerpo.

Proverbios 4:20-22 (LBLA)

A su alma hace bien el hombre misericordioso; mas el cruel se atormenta a sí mismo.

Proverbios 11:17 (RVR1960)

La mujer virtuosa es corona de su marido, mas la que lo avergüenza es como podredumbre en sus huesos.

Proverbios 12:4 (LBLA)

Enfermedad

Hay hombres cuyas palabras son como golpes de espada; mas la lengua de los sabios es medicina.

Proverbios 12:18 (RVR1960)

La esperanza que se demora enferma el corazón, pero el deseo cumplido es árbol de vida.

Proverbios 13:12 (LBLA)

El mensajero perverso cae en la adversidad, pero el enviado fiel trae sanidad.

Proverbios 13:17 (LBLA)

El corazón tranquilo da vida al cuerpo, pero la envidia corroe los huesos.

Proverbios 14:30 (NVI)

La luz de los ojos alegra el corazón, y las buenas noticias fortalecen los huesos.

Proverbios 15:30 (LBLA)

Panal de miel son las palabras amables: endulzan la vida y dan salud al cuerpo.

Proverbios 16:24 (NVI)

Enfermedad

El corazón alegre es buena medicina, pero el espíritu quebrantado seca los huesos.

Proverbios 17:22 (LBLA)

No te fijes en lo rojo que es el vino, ni en cómo burbujea en la copa, ni en lo suave que se desliza. Pues al final muerde como serpiente venenosa; pica como una víbora. Te tambalearás como un marinero en alta mar, aferrado a un mástil que se mueve. Y entonces dirás: «Me golpearon pero no lo sentí. Ni siquiera me di cuenta cuando me dieron la paliza. ¿Cuándo despertaré para ir en busca de otro trago?».

Proverbios 23:31-32, 34-35 (NTV)

Hijo mío, si los pecadores te quieren seducir, no consientas; hijo mío, no andes en el camino con ellos, aparta tu pie de su senda, porque sus pies corren hacia el mal, y a derramar sangre se apresuran.

Proverbios 1:10, 15-16 (LBLA)

Al malvado lo atrapan sus malas obras; las cuerdas de su pecado lo aprisionan. Morirá por su falta de disciplina; perecerá por su gran insensatez.

Proverbios 5:22-23 (NVI)

Mas el que peca contra mí, defrauda su alma; todos los que me aborrecen aman la muerte.

Proverbios 8:36 (RVR1960)

El salario del justo es la vida; la ganancia del malvado es el pecado.

Proverbios 10:16 (NVI)

Pecado

En las muchas palabras no falta pecado.
Proverbios 10:19 (RVR1960)

En el pecado de sus labios se enreda el malvado, pero el justo sale del aprieto.
Proverbios 12:13 (NVI)

La justicia guarda al de perfecto camino; mas la impiedad trastornará al pecador.
Proverbios 13:6 (RVR1960)

Peca el que menosprecia a su prójimo; mas el que tiene misericordia de los pobres es bienaventurado.
Proverbios 14:21(RVR1960)

La justicia enaltece a una nación, pero el pecado deshonra a todos los pueblos.
Proverbios 14:34 (NVI)

¿Quién puede afirmar: «Tengo puro el corazón; estoy limpio de pecado»?
Proverbios 20:9 (NVI)

Aleja de tu boca la perversidad; aparta de tus labios las palabras corruptas.

Proverbios 4:24 (NVI)

La persona indigna, el hombre inicuo, es el que anda con boca perversa.

Proverbios 6:12 (LBLA)

Hay bendiciones sobre la cabeza del justo; pero violencia cubrirá la boca de los impíos.

Proverbios 10:6 (RVR1960)

Manantial de vida es la boca del justo; pero violencia cubrirá la boca de los impíos.

Proverbios 10:11(RVR1960)

Plata escogida es la lengua del justo; mas el corazón de los impíos es como nada. Los labios del justo apacientan a muchos, mas los necios mueren por falta de entendimiento.

Proverbios 10:20-21 (RVR1960)

Conversación

La boca del justo emite sabiduría, pero la lengua perversa será cortada. Los labios del justo dan a conocer lo agradable, pero la boca de los impíos, lo perverso.

Proverbios 10:31-32 (LBLA)

Con la boca el impío destruye a su prójimo, pero los justos se libran por el conocimiento.

Proverbios 11:9 (NVI)

Cada uno se sacia del fruto de sus labios, y de la obra de sus manos recibe su recompensa.

Proverbios 12:14 (NVI)

Hay quien habla sin tino como golpes de espada, pero la lengua de los sabios sana. Los labios veraces permanecerán para siempre, pero la lengua mentirosa, sólo por un momento.

Proverbios 12:18-19 (LBLA)

La lengua del sabio hace grato el conocimiento, pero la boca de los necios habla necedades. La lengua apacible es árbol de vida, mas la perversidad en ella quebranta el espíritu.

Proverbios 15:2, 4 (LBLA)

El hombre se alegra con la respuesta adecuada, y una palabra a tiempo, ¡cuán agradable es!

Proverbios 15:23 (LBLA)

Abominación al SEÑOR son los planes perversos, mas las palabras agradables son puras.

Proverbios 15:26 (LBLA)

El sabio de corazón controla su boca; con sus labios promueve el saber. Panal de miel son las palabras amables: endulzan la vida y dan salud al cuerpo.

Proverbios 16:23-24 (NVI)

Conversación

El perverso hace planes malvados; en sus labios hay un fuego devorador.

Proverbios 16:27 (NVI)

Muerte y vida están en poder de la lengua, y los que la aman comerán su fruto.

Proverbios 18:21 (LBLA)

La fortuna amasada por la lengua embustera se esfuma como la niebla y es mortal como una trampa.

Proverbios 21:6 (NVI)

Como loco que dispara mortíferas flechas encendidas, es quien engaña a su amigo y explica: «¡Tan sólo estaba bromeando!».

Proverbios 26:18-19 (NVI)

El que odia disimula con sus labios; mas en su interior maquina engaño. Cuando hablare amigablemente, no le creas; porque siete abominaciones hay en su corazón.

Proverbios 26:24-25 (RVR1960)

Entonces discernirás justicia y juicio, equidad y todo buen sendero; porque la sabiduría entrará en tu corazón, y el conocimiento será grato a tu alma.

Proverbios 2:9-10 (LBLA)

Dichoso el que halla sabiduría, el que adquiere inteligencia.

Proverbios 3:13 (NVI)

Hijo mío, no se aparten estas cosas de tus ojos, guarda la prudencia y la discreción.

Proverbios 3:21 (LBLA)

Adquiere sabiduría, desarrolla buen juicio. No te olvides de mis palabras ni te alejes de ellas.

Proverbios 4:5 (NTV)

Lo principal es la sabiduría; adquiere sabiduría, y con todo lo que obtengas adquiere inteligencia.

Proverbios 4:7 (LBLA)

Sabiduría

Yo te guío por el camino de la sabiduría, te dirijo por sendas de rectitud.

Proverbios 4:11 (NVI)

Vale más la sabiduría que las piedras preciosas, y ni lo más deseable se le compara. Yo, la sabiduría, convivo con la prudencia y poseo conocimiento y discreción.

Proverbios 8:11-12 (NVI)

Mío es el consejo y la prudencia, yo soy la inteligencia, el poder es mío.

Proverbios 8:14 (LBLA)

El principio de la sabiduría es el temor del Señor, y el conocimiento del Santo es inteligencia.

Proverbios 9:10 (LBLA)

En los labios del entendido se halla sabiduría, pero la vara es para las espaldas del falto de entendimiento.

Proverbios 10:13 (LBLA)

Sabiduría

El necio se divierte con su mala conducta, pero el sabio se recrea con la sabiduría.

Proverbios 10:23 (NVI)

Busca el escarnecedor la sabiduría y no la halla; mas al hombre entendido la sabiduría le es fácil.

Proverbios 14:6 (RVR1960)

El temor del Señor es instrucción de sabiduría, y antes de la gloria está la humildad.

Proverbios 15:33 (LBLA)

Mejor es adquirir sabiduría que oro preciado; y adquirir inteligencia vale más que la plata.

Proverbios 16:16 (RVR1960)

El siervo sabio gobernará al hijo sinvergüenza, y compartirá la herencia con los otros hermanos.

Proverbios 17:2 (NVI)

Sabiduría

El buen juicio hace al hombre paciente; su gloria es pasar por alto la ofensa.

Proverbios 19:11 (NVI)

No vale sabiduría, ni entendimiento, ni consejo, frente al SEÑOR.

Proverbios 21:30 (LBLA)

Inclina tu oído y oye las palabras de los sabios, y aplica tu corazón a mi conocimiento.

Proverbios 22:17 (LBLA)

Con sabiduría se construye la casa; con inteligencia se echan los cimientos. Con buen juicio se llenan sus cuartos de bellos y extraordinarios tesoros.

Proverbios 24:3-4 (NVI)

El que confía en su propio corazón es necio; mas el que camina en sabiduría será librado.

Proverbios 28:26 (RVR1960)